iveau
e lecture
2

Tous lecteu

Documen

CW00384187

1339

Dinosaures

Sally Odgers

traduit par Lucile Galliot

hachette
ÉDUCATION

Sommaire

ISBN : 978-2-01-117488-8

Copyright 2008 © Weldon Owen Pty Ltd.

Pour la présente édition, © Hachette Livre 2009, 43 quai de Grenelle, 75905 Paris Cedex 15.

Tous droits de traduction, de reproduction et d'adaptation réservés pour tous pays.

Les dinosaures* sont des reptiles*
qui vivaient il y a très longtemps.
L'étude de leur squelette et de
leurs empreintes nous a appris
beaucoup de choses sur leur vie.

Du dinosaure au fossile

Quand un dinosaure mourait, son corps tombait sur le sol ou tout au fond de l'eau. Parfois, un prédateur* le mangeait.

un dinosaure *Camptosaurus* mort

S'il n'était pas mangé, le corps était petit
à petit recouvert par la terre ou le sable.
Les os du squelette étaient alors protégés.

des petits prédateurs*
appelés *Coelurus*

La fossilisation

Des corps de dinosaures sont restés cachés sous terre pendant des millions d'années. Avec le temps, les os se sont transformés en pierres appelées « fossiles »*.

1. Les dinosaures sont enterrés sous une couche de sable.

2. Plusieurs couches de terre recouvrent leurs corps.

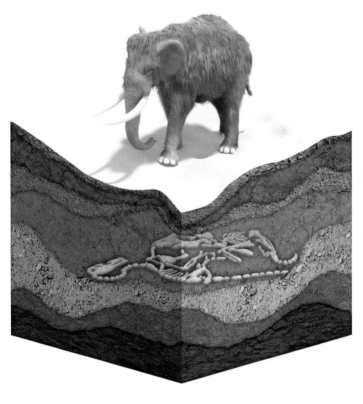

3. Les corps
se transforment
lentement
en pierre.

4. Des chercheurs*
découvrent
les fossiles.

Les types de fossiles

Certains fossiles* se forment
à partir de plantes. Par exemple,
quand une feuille tombe dans
de l'argile, celle-ci durcit et
conserve une empreinte*
de la feuille.

des fossiles de plantes

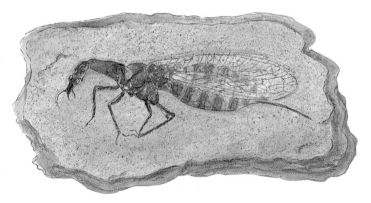

un fossile d'insecte

des fossiles de poissons

En général, seule la partie dure des animaux
(os, arêtes, coquille...) est assez solide
pour se fossiliser.

Empreintes fossilisées

Quand ils marchent dans
la boue, les animaux y laissent
des empreintes*. Ces empreintes
peuvent se fossiliser.

Ces petits dinosaures
courent sur un sol mou.

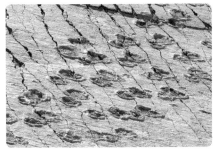

Grâce aux empreintes fossilisées, on comprend mieux les déplacements des dinosaures.

La recherche de fossiles

Certains endroits sont plus riches en fossiles* que d'autres. Les chercheurs* savent que les sols qui contiennent de la roche sédimentaire* sont de bons sites de fouilles*.

Souvent, lorsqu'on trouve un fossile de dinosaure à un endroit, on en trouve d'autres à côté.

On utilise une petite pioche pour briser les cailloux qui contiennent un fossile.

un fossile de dinosaure enfoui dans une couche de roche sédimentaire

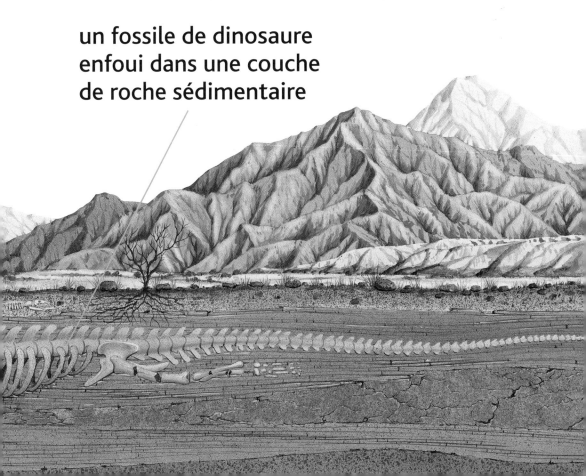

Les fouilles

Lorsque des chercheurs*
découvrent un fossile*,
ils doivent le sortir
des couches de roche
qui l'enferment.

C'est un travail
long et appliqué.

Une étrange découverte

En 2000, un fossile très intéressant a été découvert aux États-Unis. C'est un jeune *Brachylophosaurus*. Les chercheurs l'ont appelé « Leonardo ».

le fossile
de Leonardo

Leonardo est une momie*.
Des restes de peau et de chair
ont été retrouvés sur son squelette.

Un puzzle géant

Les os fossilisés sont souvent
en désordre quand
on les découvre. Reconstituer
le squelette, c'est comme faire
un puzzle très compliqué !

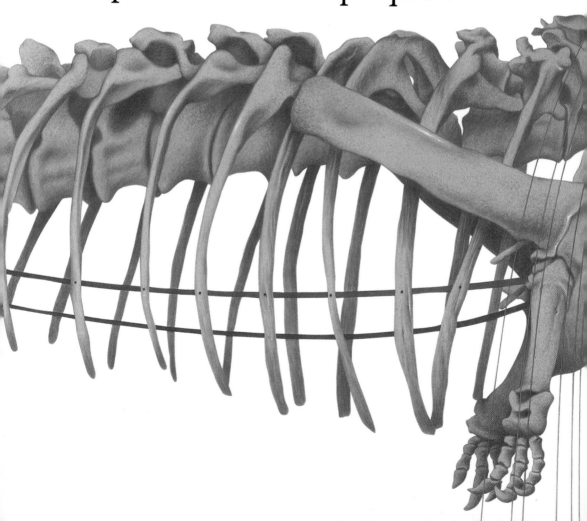

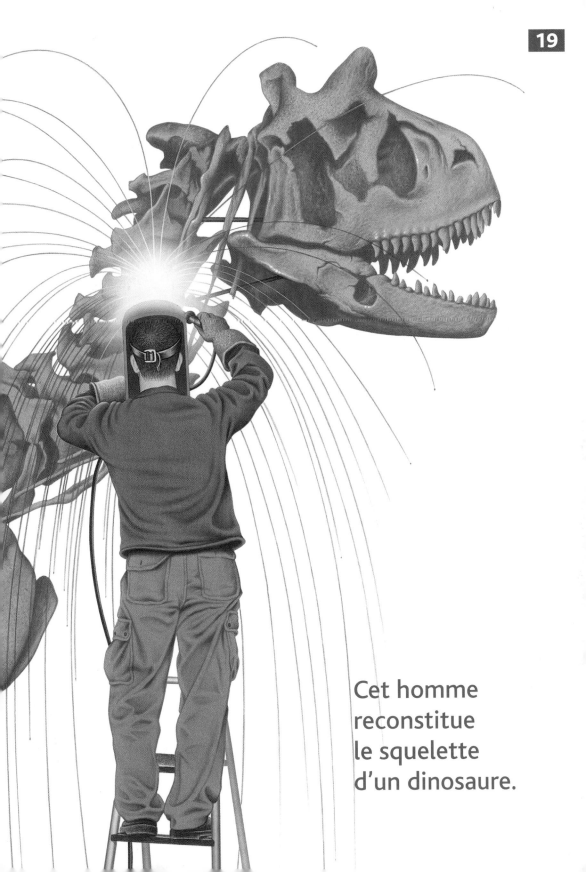

Cet homme
reconstitue
le squelette
d'un dinosaure.

Au musée

Les squelettes fossilisés sont exposés dans des musées*. Les visiteurs sont impressionnés par leur taille immense !

Les textes et
les illustrations
affichés près
du squelette
expliquent comment
vivait le dinosaure
et à quoi il ressemblait.

Reconstituer un dinosaure

Les squelettes fossilisés des dinosaures sont souvent incomplets. Les chercheurs* remplacent donc les os manquants par des copies en plâtre.

la copie en plâtre d'un os manquant

un fossile

Après avoir reconstitué le squelette, les chercheurs* lui ajoutent des muscles et de la peau. Cela permet de savoir à quoi ressemblait le dinosaure quand il était en vie.

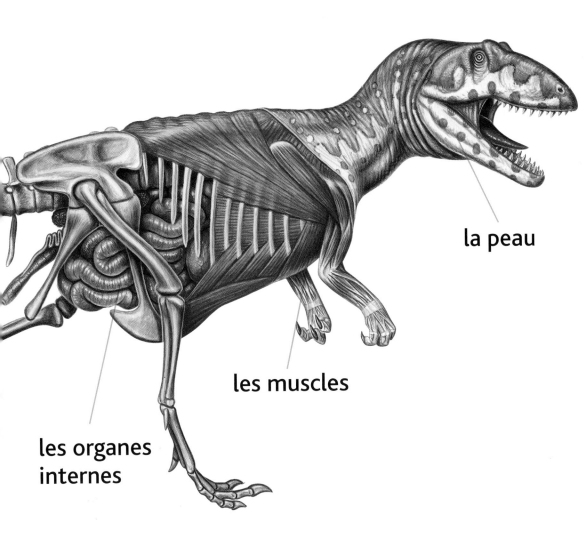

la peau

les muscles

les organes
internes

Le *Futalognkosaurus*

Le *Futalognkosaurus* vivait en Argentine il y a 70 millions d'années. Son nom signifie « grand chef lézard ».

les os fossilisés d'un *Futalognkosaurus*

Des fossiles*
de cette créature
gigantesque
ont été découverts
en 2000.

L'Archaeopteryx

Des fossiles* d'un *Archaeopteryx* ont été découverts en Allemagne en 1861. Ce dinosaure avait la taille d'un gros corbeau. Pour certains, c'est le premier oiseau apparu sur Terre.

L'*Archaeopteryx*
pouvait voler. Il avait
des plumes et des dents.

Un combat de dinosaures

Ces fossiles* de *Vélociraptor* et de *Protocératops* ont été trouvés en Mongolie en 1971. *Vélociraptor* signifie « voleur rapide ».

un *Protocératops*

un *Vélociraptor*

Ces deux dinosaures se battaient
quand une tempête de sable les a recouverts.
Ils se sont ensuite transformés en fossiles.

Quiz

Rends son nom à chacun de ces dinosaures.

Archaeopteryx

Futalognkosaurus

Leonardo

Camptosaurus

Lexique

un chercheur : une personne qui fait des recherches scientifiques.

un dinosaure : un reptile qui vivait il y a très longtemps. *Dinosaure* signifie « lézard terrible ».

une empreinte : une trace laissée par une personne ou un animal.

un fossile : les restes d'un animal ou d'une plante conservés dans la roche.

des fouilles : une recherche de fossiles ou d'objets anciens enfouis dans la terre ou dans la roche.

une momie : un cadavre qui a été protégé de la destruction par un phénomène naturel ou par des techniques humaines.

un musée : un lieu où l'on expose des objets historiques ou artistiques intéressants.

un prédateur : un animal qui tue un autre animal pour se nourrir.

un reptile : un animal recouvert d'écailles.

une roche sédimentaire : une roche constituée de plusieurs couches.

PAPIER À BASE DE
FIBRES CERTIFIÉES

⊟ hachette s'engage pour
l'environnement en réduisant
l'empreinte carbone de ses livres.
Celle de cet exemplaire est de :
250 g éq. CO$_2$
Rendez-vous sur
www.hachette-durable.fr

Crédits photographiques : 9bg et bd : Shutterstock ; 11h : Photolibrary ;
14-15, 17, 26 : Corbis ; 24 : AAP ; 28 : Getty Images
Mise en pages : Cyrille de Swetschin
Achevé d'imprimer en Italie par L.E.G.O. S.p.A.

Dépôt légal: 03/2013 - Collection n° 36 - Edition 02 - 11/7488/7